LA SOURIS ET LE VOLEUR

Pour Layla et Najoua.
J. D.

À mon bébé
(aux cacas dissuasifs...).
C. V.

© Didier Jeunesse, 2011 pour la présente édition
© Didier Jeunesse, 2002 pour le texte et les illustrations
60-62, rue Saint-André-des-Arts, 75006 Paris – www.didier-jeunesse.com
Prises de vue : Jean-Louis Hess – Graphisme : Isabelle Southgate
Photogravure : Jouve Orléans et IGS-CP
ISBN : 978-2-278-06563-9 – Dépôt légal : 6563/05
Loi n° 49-956 du 16 juillet 1949 sur les publications destinées à la jeunesse

Achevé d'imprimer en France en mai 2019 chez Clerc (Saint-Amand-Montrond),
imprimeur labellisé Imprim'Vert, sur papier composé de fibres naturelles
renouvelables, recyclables, fabriquées à partir de bois issus
de forêts gérées durablement.

PAPIER À BASE DE
FIBRES CERTIFIÉES

Didier Jeunesse s'engage pour
l'environnement en réduisant
l'empreinte carbone de ses livres.
Celle de cet exemplaire est de :
150 g éq. CO_2
Rendez-vous sur
www.didierjeunesse-durable.fr

LA SOURIS ET LE VOLEUR

Une histoire contée par
Jihad Darwiche

avec le concours littéraire de
Céline Murcier

illustrée par
Christian Voltz

Didier Jeunesse

Un jour,

en balayant sa maison,
la souris trouve

un sou.

Comme il y a bien longtemps
qu'elle n'a pas mangé de viande,
elle court chez le boucher.
Elle lui donne sa pièce
et revient chez elle avec
un **beau** morceau
de **viande**.

Le soir, la souris
coupe sa viande
en deux.

Elle en mange
la moitié
et met
l'autre moitié
dans une assiette.

Elle pose l'assiette
sur une étagère
et va se coucher.

À minuit,
un **voleur** arrive,
doucement, doucement.

Sans faire de bruit,
il fait le tour
de la maison
de la souris.

Il trouve la viande
et la mange !

Le lendemain matin,
la souris se réveille
avec une grande faim.

Malheur !
l'assiette est
vide !

Furieuse, elle claque
la porte de sa maison
et court chez le juge.

– Bonjour, monsieur le juge, dit la souris,
hier, en balayant ma maison,

j'ai trouvé un sou,

je suis allée chez le boucher,

j'ai acheté de la viande,

j'en ai mangé la moitié

et j'ai mis l'autre moitié sur l'étagère,

mais, pendant la nuit,
un voleur est arrivé et il m'a volé ma viande !

Qu'est-ce que je peux faire ?

Le juge lui dit :
– C'est **très** simple. Voilà ce que tu vas faire :

Rentre dans ta maison.
Mets du caca dans une assiette,
pose l'assiette sur l'étagère,
plante des clous à l'envers dans le mur,
mets un serpent dans la bassine d'eau,
cache un âne derrière la porte,
accroche un coq au plafond,

et **dors** *tranquille.*

La souris retourne chez elle.
Elle met du caca
dans une assiette,
elle pose l'assiette sur l'étagère,
elle plante des clous à l'envers
dans le mur,
elle met un serpent
dans la bassine d'eau,
elle cache un âne derrière la porte,
elle accroche un coq au plafond,

et s'endort tranquillement.

miam !

À minuit,
  qui c'est qui arrive ?
     Le voleur bien sûr !

Il entre dans la maison
de la souris,
doucement, doucement,
il cherche partout
sans faire de bruit.

Il met la main dans l'assiette…
mais dans l'assiette
il y a du caca
et le caca lui colle à la main !

Il essuie sa main contre le mur.

    Ouille !
Les clous lui piquent la main !

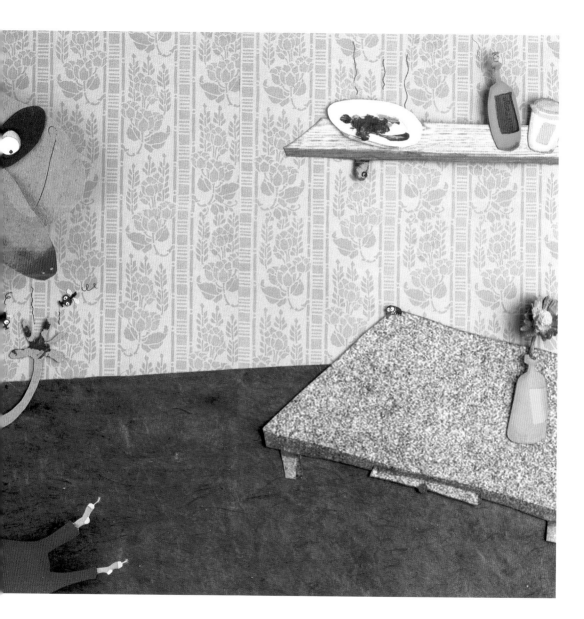

Il veut se laver la main
dans la bassine d'eau.

— Aïe !

le serpent le mord !

Il court vers la porte
pour sortir.
Et **bing !**

l'âne lui donne
un coup de sabot !

Bien fait !

Alors le voleur
lève les yeux au ciel et dit :
– *Mon Dieu,*
   qu'est-ce qui m'arrive
            aujourd'hui ?

Et le coq lui fait une crotte
dans la bouche…

Depuis ce jour,
le voleur n'est plus jamais revenu,
et la souris vit heureuse
et sans souci dans sa maison.

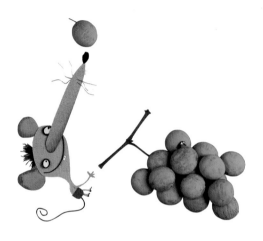

Voilà, mon histoire est terminée.
Dans ta poitrine, je l'ai cachée.
Si ma maison n'était pas si loin
je t'aurais amené deux sacs de raisins.
Tu aurais mangé jusqu'à plus faim.

Le conte du personnage (humain ou animal) qui se débarasse de son voleur
à l'aide d'animaux et d'objets judicieusement disposés de son intérieur
est populaire au Moyen-Orient. La présnte version, que le conteur
tient de sa mère, est issue de la tradition orale libanaise.
C. M.

Les P'tits Didier

Des livres câlins à mettre entre toutes les mains !

Les Deux Maisons
D. Kowarsky - S. Ribeyron

Quel radis dis donc !
P. Gay-Para - A. Prigent

Le Poussin et le Chat
P. Gay-Para - R. Saillard

Le Bateau de monsieur Zouglouglou
C. Promeyrat - S. Devaux

L'Ogresse et les Sept Chevreaux
P. Gay-Para - M. Bourre

La Toute Petite, Petite Bonne Femme
J.-L. Le Craver - D. Grenier

Les Trois Boucs
C. Promeyrat - R. Saillard

Les Trois Petits Pourceaux
C. Promeyrat - J. Jolivet

La Souris qui cherchait un mari
F. Vidal - M. Bourre

La Mare aux aveux
J. Darwiche - C. Voltz

Quatre Amis dans la neige
P. Gay-Para - A. Prigent

Retrouvez les plus belles histoires de Didier Jeunes au format poche !

64 titres disponibles pour les tout-petits et les plus grands.

www.didier-jeunesse.co